卡通绘画 轻松入门

丛琳 编著

化学工业出版社

·北京·

本书是为卡通爱好者编写的一本综合引导书，轻松、简洁、明了是本书追求的风格。

本书从工具使用到人物绘制、从动物画法至场景描写、从自然景观到特效表现、从单一人物至综合情景，从简至繁，全面展现了卡通绘画的技法。

可爱的卡通形象，通俗易懂的讲解，将伴随读者愉快地步入卡通之门。

图书在版编目（CIP）数据

卡通绘画轻松入门/丛琳编著． ——北京：化学工业
出版社，2008.9
ISBN 978-7-122-03580-6

Ⅰ.卡⋯　　Ⅱ.丛⋯　　Ⅲ.动画－技法（美术）　　Ⅳ.J218.7

中国版本图书馆CIP数据核字（2008）第132950号

责任编辑：丁尚林　　　　　　　　装帧设计：王晓宇　丛琳

出版发行：化学工业出版社（北京市东城区青年湖南街13号　邮政编码100011）
印　　装：北京画中画印刷有限公司
880mm×1230mm　1/24　印张：5　　2009年9月北京第1版第3次印刷

购书咨询：010-64518888（传真：010-64519686）　售后服务：010-64518899
网　　址：http://www.cip.com.cn
凡购买本书,如有缺损质量问题,本社销售中心负责调换。

定　　价：18.00元

前言

"轻松地学习，轻松地生活"，是我们的追求。真的能驾轻就熟，从容地学习、生活吗?

本书漂亮的卡通形象、简明的内容设计与轻松的语言表达，将引导你愉快地走进卡通动漫之门，并希望你能因此而乘风破浪地前行。

在绘画上追求独特的构思，大胆的想象，画出的画有灵魂，这些需要一个过程，一个坚持不断学习完善的过程。纵然梦想给了我们一双翅膀，但能否展翅高飞取决于方法。在较短的时间内作出一幅无论在人物、场景、结构规划、细节描绘上都合乎情理的动漫作品，就需要我们有实现的方法。

本书就是基于卡通动漫创作所需的各个环节而展开的一本综合引导书。从工具使用到人物绘制、从动物画法至场景描写、从自然景观到特效表现、从单一人物至综合情景，从简至繁来展现绘画的技法。轻松、简洁、明了是本书追求的风格，只要你能用笔乱写乱画，只要你会涂鸦，你肯定就能画漫画。

拿起笔现在就开始吧!

从临摹开始，因为从临摹中你不仅可以学会驾驭工具，还可以从不同的画风中学习到别人不同的长处并灵活运用，创造出自己的画风,而且多看看大师的作品可以受益不少哦!本书的综合篇就收录了许多经典欧洲动画片场景及日本绘画大师的作品。

本书可以使你对动漫行业有更深一层的了解。要想成为一名出色的动漫设计师，扎实的手绘功底是必需的，期盼你勤加练习，为实现职业目标而奋斗，更期盼你进入动漫这个诱人的领域，实现自己的动漫梦想。

参与本书编写的人员有：丛亚明、庄如玥、李丹、翟东辉、鲁经伟、黄方芳、刘倩。在此感谢大家的关注与支持。

目录

基础篇 绘画流程及工具

人物篇 卡通人物的画法

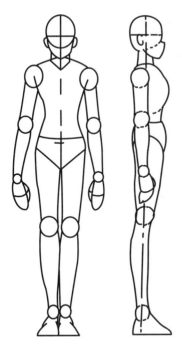

场景篇 卡通场景的画法

综合篇 卡通形象的组合

绘画流程及工具

绘画流程

0 准备

构思草图（构思分格的简略草图）

进行分格并画出角色大致的动态，再加上相应的对白，构成简略的构思草图。这样可以简略地将脑子里的灵感和角色通过分格表现出来，并让整个故事的展开一目了然。

画构思草图的时候是以对页为单位进行构思的。要注意人物在格子里的大小是否合适，整体是否有节奏感。这是绘制漫画准备的基础。一旦确定了构思草图，就可以开始用原稿纸画画了。

大纲

没有故事就不可能产生漫画，如果大纲很苍白，最后的漫画也肯定很无趣，所以大纲是漫画创作中最关键的环节。

1 草图

用铅笔在原稿纸上画草图

将构思草图用铅笔画在原稿纸上。要用铅笔轻轻地画，衣服上褶子的形状及眼睛的反光都要仔细地用线画出来。

铅笔和橡皮

铅笔用B～2B的，如果铅笔太软，千万别弄脏纸面，如果铅笔太硬，会把纸压出沟槽，钢笔描线的时候会描断线条。橡皮要保持干净，如果用被铅粉弄黑的橡皮会越擦越黑的。

确定角色

确定了登场人物的性格、癖好、缺点、优点，才能引发故事情节，同时要给人物设计出符合其性格的发型、服装及体型特征。

2 描线

　　根据草图，用钢笔来描边。描的时候基本遵循从左往右，框线一人物一背景的顺序，然后用毛笔或者马克笔将需要涂黑的地方涂黑以及给背景添加效果线。

钢笔

　　G笔、圆笔能够画出不同的笔触，针管笔可以拉出粗细均一的线条。

墨水

　　常用的墨水有绘图墨水、墨汁、漫画用墨水等，每种墨水都有自己的优缺点。绘图墨水干得快，又耐水，初学者最好就使用这种墨水。

3 加工

　　用钢笔描好线后，将铅笔稿用橡皮擦掉，弄脏的地方用白颜料修掉并且给眼睛点上高光。贴网点也在这个阶段进行。

白颜料

　　有广告色、修正液以及漫画专用白颜料等，这是加工阶段必备的用具。画坏的线和弄脏的地方都用白颜料来修正，白颜料还可以点出眼睛的高光和夜景的光点。

网点纸

　　网点纸是印着各种图案以及由点构成的各种深浅灰度的透明贴纸。有图案、灰度、渐变、砂点、花纹、闪光等很多种，有些甚至可以直接用作背景。

原稿纸

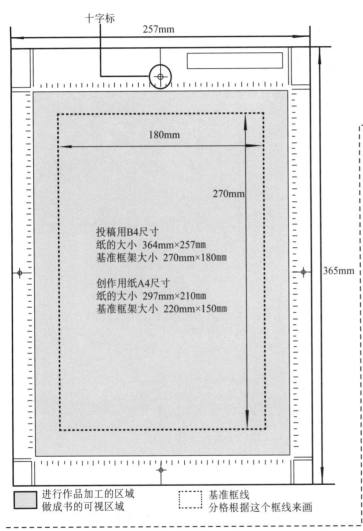

十字标

257mm

180mm

270mm

投稿用B4尺寸
纸的大小 364mm×257mm
基准框架大小 270mm×180mm

创作用纸A4尺寸
纸的大小 297mm×210mm
基准框架大小 220mm×150mm

365mm

进行作品加工的区域
做成书的可视区域

基准框线
分格根据这个框线来画

纸的基础知识

　　纸的大小分为A和B两种。市场上销售的最大的纸是B1的。A类和B类的长宽比都是$\sqrt{2}$。不管多大尺寸都是相同的比率。

沿基准框线来画格子

　　漫画原稿纸有三重线框。最外侧的是裁切线，如果想让画面充满整个纸面就一直画到这里。中间是加工线，即成书的页面范围。最内侧的框架是基准框架线，这个基准也就是画漫画时分格的范围。

裁切线

加工线

基准框线

原稿用纸 B4

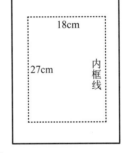

18cm

27cm

内框线

漫画原稿纸的使用

原稿用纸 A4

15cm

22cm

内框线

　　市场上可以买到的漫画原稿纸上标有十字标和裁切线等参考线。有B4大小和A4大小两种：一般投稿用B4，常规创作用A4。

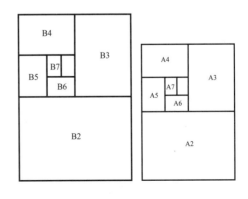

从绘图至印刷

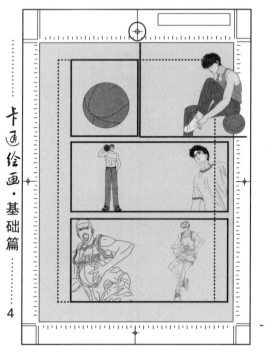

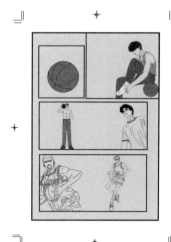

缩小到80%进行印刷

做成B5大小的书。沿裁切线画的边沿加工线来裁切，做成书。

书的基础知识

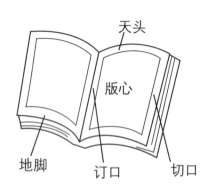

天头

版心

地脚　　订口　　切口

制作对页

左右页内侧从基准框线外侧1cm处裁切掉。将原稿纸两张连在一起，背面用胶条粘起来。

如果对页构图的时候图画在正中间，打开书就会发现，订口部分无法完全打开，就会变成右图这样。

背面

扉页和首页

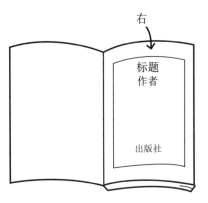

右

标题
作者

出版社

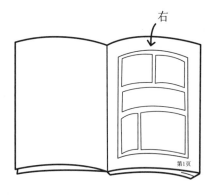

右

第1页

扉页

　　翻开图书的封面，映入眼帘的右侧一页就是我们常说的扉页。扉页经常保留与封面一致的设计风格。

首页

　　越过文前页，正文常从右侧开始图书的第一页，就是我们常说的首页，从这页开始的以后每页均有数字来标记页码。

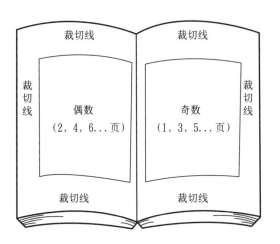

裁切线　　　　裁切线

裁切线

偶数
(2, 4, 6...页)

奇数
(1, 3, 5...页)

裁切线

裁切线　　　　裁切线

偶数　奇数

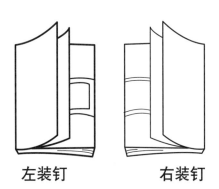

左装钉　　　　**右装钉**

　　常规图书均是左装订方式，也就是由前往后翻阅。偶尔也有从后

铅笔和橡皮——画草稿

用笔芯为B-2B的铅笔

　　无论是木头铅笔还是自动铅笔都用B-2B的笔心较好。如果笔心太软了，铅粉蹭到画面上把画面弄脏，太硬了又会划伤纸。

太尖了容易折断而且不容易画出粗细均一的线

笔尖稍微有点弧度，这样正好

B

2B

使用橡皮注意事宜

　　橡皮要朝一个方向轻轻擦，要使用那种轻轻擦就能擦掉铅笔印的橡皮才行，不要使用脏的旧橡皮。此外橡皮的套子不要摘下来，以防止橡皮蹭上手指上的油脂。

草稿要轻轻画

画草稿要轻。若用笔太使劲儿，加工的时候橡皮擦就很难擦掉，也会容易弄伤纸。草稿的线要是太重，描线的时候笔触也会比较难画出来，还有，如果草稿画得太重，就会搞不清楚钢笔描线的位置。

✕ 草稿的线太乱了。这样描线时会造成困惑。

⭕ 为了让钢笔描边容易进行，草稿画到这种程度就好。

手下垫上纸

画草稿的时候，手下面垫上毛巾或者白纸。这样手上的油脂才不会粘到纸上。如果粘上了油脂，橡皮会擦不掉，墨也会画不上去。

羽毛掸子

可以掸掉橡皮屑及网点纸切下的碎屑。若用手掸的话，油脂会蹭到纸上，可能会蹭坏描好的线，所以不要这样做。

羽毛掸子。1根羽毛的。有右手用和左手用的。

拷贝台

台子的里面放有灯泡，会照亮整个台面，稿纸重叠放在上面就可以映出下层纸上的图形，将原来的稿子拓到新的纸上，也可以用于资料照片的复写。

钢笔——钢笔描线

笔尖的形状

　　笔尖插到笔杆上，蘸上墨水或者墨汁就可以画了。画漫画使用的笔尖主要有4种。笔尖是消耗品，所以需要一次多购买一些。除了笔尖，还有针管笔。

圆笔
画细线用。如果力度强，也可以画出粗线来。

G笔
最普通的一种笔尖。根据力度的不同，可以画出粗细范围很广的线来。

镝笔
可以画出很柔软的笔触。与G笔和圆笔相比，线的强弱感并不差。有画细线的铝（亚光）制笔尖和画粗线的铬（有光泽）制笔尖两种。

斯克尔笔
可以画出细而硬的笔，线的粗细是一样的。

细笔
可以画出粗细均一的线来。0.1～1.0mm的都有。

笔和墨汁、墨水——涂黑

只要该黑的地方黑了就是成功

　　平涂主要就是用墨汁和面相笔，把要涂的地方一点不剩地涂黑就算成功了。毛笔类型的笔也是经常使用的。制图用墨水会损伤笔尖，干了之后还会变成粉末，所以一般不推荐使用。漫画专用墨水干得快，如果用不惯会比较麻烦。涂的时候按照一定的方向，一次成形，这样不容易出现不均匀的地方。

墨汁

　　延展性好，可以用钢笔或者其他笔来涂。如果放久了会发臭，水分流失而变得黏乎乎的。根据绘画量的大小斟酌购买，尽量买小瓶的为好。

主要使用面相笔

　　平涂主要还是使用面相笔。如果需要涂细小的地方，也可以选用笔头小的笔。大面积平涂时，用大号的笔也是很方便的。

毛笔用起来很方便

　　平涂时，用毛笔也会很顺手，笔尖不会分叉、干掉。毛笔蘸墨汁使用也是个不错的方法。

推荐使用的水性颜料马克笔

　　马克笔涂抹方便，买起来也方便，而且水性颜料的马克笔颜料也容易遮盖，不会泛到白颜料上面或者渗出来，推荐大家使用。油性马克笔因为容易渗出来所以不推荐使用。

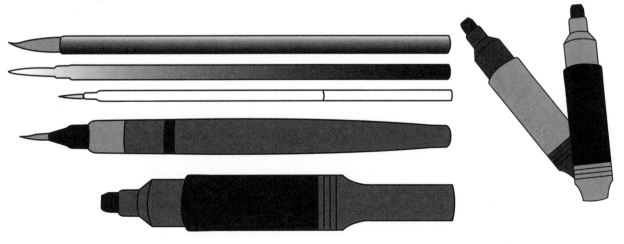

平涂时要沿轮廓线涂一遍后再填涂中间的空间

　　平涂的时候，不能上来就大笔大笔地涂，要先沿轮廓线涂一遍，把细部轮廓用毛笔或者细笔涂好后再填涂中间部分。如果是最后一起涂黑的话，画的时候要将涂黑的部分画上叉子做记号。

光泽涂黑——黑发要留出光泽

1 用铅笔画出边界线，标记出哪里要留排线。

2 根据纸的方向，轻轻用笔画出头发。

细节部分要先涂好

用钢笔画好后用毛笔涂黑，留出白底

可以转动纸张让光泽笔触向下来涂。

轻轻用

刷　　　　　刷

纸

3 留出白底就显出了黑发的光泽。

尺子——效果线以及对话框

直尺

短的大概是20cm左右，长的可以有40cm。因为尺子上有刻度，所以画平行线的时候很方便。

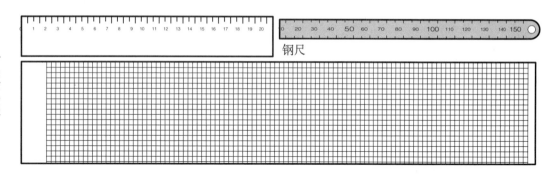

钢尺

云尺

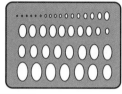

椭圆模板

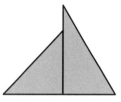

三角尺

三角尺

两个三角尺组合使用，可以很容易地画出直角和斜线，分格的时候用来画边界线也很方便。

云尺

各种各样的曲线用一把云尺就可以画出，画效果线及对话框的时候可以使用。

椭圆模板

有各种大小的圆和椭圆形状的模板。画对话框的时候会用到。

钢尺

切割网点纸或者裁纸的时候用美工刀，比着切割的时候用钢尺，塑料的尺子会被刀子割坏。

使用尺子的小技巧

线会洇出去，或蹭脏怎么办……？尺子上面贴上一块钱的硬币让尺子浮在纸面上，这样墨就不会洇，也不会蹭脏画面了。

比着钢笔画过线的尺子肯定会被墨水弄脏，用完后要用面巾纸或者布擦干净。

直尺的表面（墨线的倾斜面）贴上几个一块钱的硬币。

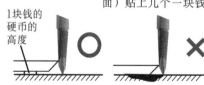

1块钱的硬币的高度

集中线的画法

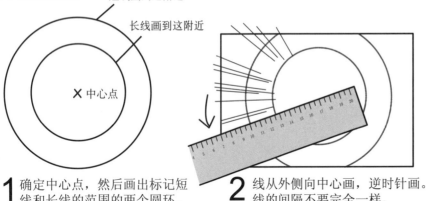

短线画到这附近

长线画到这附近

✕ 中心点

1 确定中心点，然后画出标记短线和长线的范围的两个圆环。

2 线从外侧向中心画，逆时针画。线的间隔不要完全一样。

3 涂出框的线及不要的线都用白颜料遮盖。

黑色闪光的画法

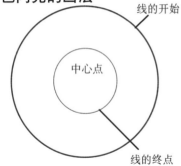

线的开始

中心点

线的终点

1 确定中心点后画出两个标记范围的环。

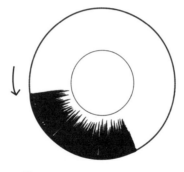

2 线头部分可以随意画得粗些，让相邻线紧贴在一起，末端渐细。逆时针来画。

3 背景平涂黑色，出框的部分用白色颜料修正。

速度线

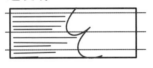

先画几条平行线作为边界线，作为之后移动尺子画线的依据。

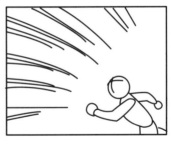

画流线

假想的中心点

确定假想的中心点，然后用云尺一点一点地移动画线。这比直线的集中线更显得有速度感。

白色颜料——修正和提亮

了解白颜料的特征，有针对性地使用

可使用的白色颜料有修正液、广告色、漫画专用白颜料，每一种都有自己的长处和短处。我们可以根据不同的需要选择使用。

1. Dr Martins 牌 的 BLEED-PROOF-ITEWH，很多专业漫画家都在使用这种白颜料。延展性非常好，另一方面，浓度的调节需要多用才能使用。

2. MISNON的白颜料是水性的，用于薄涂；如果直接使用会过于黏稠，最好用水稀释后使用。而且因为干得快，涂抹的速度也要快，不然颜料会干在笔头上。

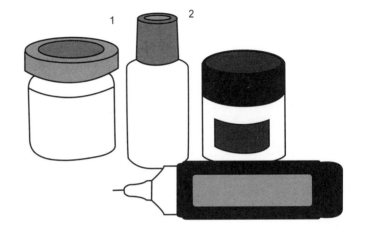

用水调节浓度后使用

毛笔先蘸水后再蘸颜料，这样比较容易涂色。然后洗笔的时候也方便些。白颜料也可以挖出一些放到小盘里用水稀释调浓度。如果浓度太稀会透出下面的颜色，太浓干掉后又会剥落。如果在颜料和黑墨上涂白颜料，有可能黑墨会泛上来，遇到这种情况可以减少水分或者换别的颜料来用。因为白颜料干得快，用后要及时盖上盖子。

Q 白色的文字也用白颜料涂出来么？
A 做出印刷指示。

平涂的黑色上面如果想要印白色文字，要作出印刷的指示。没必要用白颜料来画。指示的方法，就是在平涂黑色的地方放上描图用纸，将想要的白色文字画在想要的位置上，用红笔标记出这是反白的字。

描图纸

背后用胶带固定

描图纸折一下在原稿纸背面用胶带固定住。

卡通动漫

用白来修正

白色的使用方法各种各样，如除去污点、描绘星座、表现反白效果等。

反射光的部位用白
颜料画出高光

卡通绘画·基础篇

集中线的留白

这次谁都
别跟我争！

在集中线里涂出一些空白可以更加强调出集中线，增强印象。

反白效果

网点——营造中间色调

印着很小的点、线还有花纹的透明胶片就是网点纸。被称为灰网的网点纸在黑白漫画中用于营造中间色调，当然还有其他各种各样的网点纸。

用美工刀刮，可以刮出锐利的光感。

用这个部分来刮

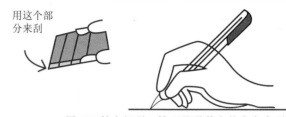

用刀刃的尖部刮。技巧是逆着点的走向来刮。

网点纸的应用

1 带着衬纸网点放在原稿上，然后整块割下来。

2 将网点纸轻轻贴在原稿上，将不要的部分割下。

3 网点上垫上纸（用网点纸的衬纸就行），然后用压网刀将网点纸牢牢地压在原稿上。

可塑橡皮

揪一块大小适当的可塑橡皮，可以粘掉刮下来的网点屑。

如何制作网点的闪光

确定中心点，光的边界线用浅蓝色画出来。然后比着钢尺用美工刀的刀尖刮网。技巧是从中心向外使劲一拉，要把握节奏。然后把多余部分的网点裁掉，刮下来的网点屑用可塑橡皮粘掉。

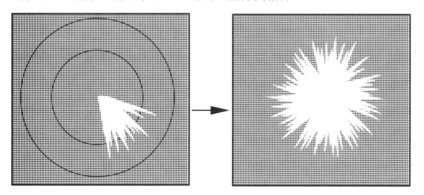

用砂制橡皮擦出蓝天白云

用砂制橡皮擦网可以获得很细致的朦胧效果。

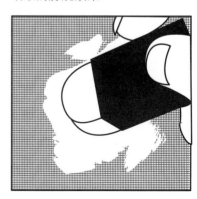

四幅漫画的制作过程

通过四幅漫画可以学习故事情节的"起、承、转、合"。先来学学这个基本功吧。

起

大个子蚊子生来自大狂妄

瞧你那小个，哪像我一口就能咬个大包，人类想尽办法对付我，还发明了"驱蚊高效喷雾"，哈，现在的美餐味道很独特噢！

❶

按照"何时、何地、和谁"来设定主人公。

承

哈，我们专咬人类血液最厚最敏感的部位，我们能充分享受快乐和征服人类这种高智商动物的快感！

小个子蚊子自负不已

开始朝着某一目标行动。

❷

转

❸

你们那都不算什么，我能在原有的位置上连续奋战让人类的包包呈现仙人掌层层叠加的效果，且几天不下去，人类对蚊子世界的我谈及色变。

花斑蚊子骄傲自满

进行场面转换，从其他视角展开画面，是高潮部分。诸如采取反常的行动等。

四幅漫画底稿的画法

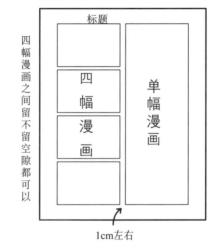

四幅漫画之间留不留空隙都可以

标题

四幅漫画

单幅漫画

1cm左右

纵向排版的第一页底稿

进行分格的时候基本上就是顺着说明故事的导线，不拖泥带水地排布格子，赋予格子变化以引人注目，画出可以留住人视线的格子，这些都是让读者沉浸到故事中的布置。

注　意

投稿时应按照杂志规定的尺寸画。

横向排版的第一页底稿

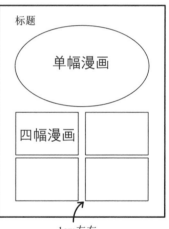

标题

单幅漫画

四幅漫画

1cm左右

描写之后的结局，是结尾部分。结尾的安排要尽可能地给读者留下印象

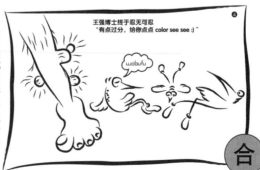

王强博士终于忍无可忍
"有点过分，给你点点 color see see :)"

wobufu

❹

合

情节漫画

情节漫画的展开基本按照"起、承、转、合"的构造。大致规定每页的大概情节，之后就可以轻松展开了。

给漫画取名

所谓取名，是指在纸上写出大致的分格、台词、出场人物、位置等。在画底稿之前，首先从这一步开始吧。

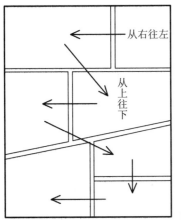

从右往左

从上往下

将脑海中的设想画出来

故事大纲和角色确定之后，就要将其转变成构思草图。

右上方的构思草图和右下方最终完成的漫画相比，大体的分格效果、人物的特写以及对话框的位置都逐渐成形。

构思草图的检验

确定大纲是否将设定的主题很好表现出来了，画面的走向是否是有节奏地展开，是否有没用的场景，整个表现是否有张有弛，这些都可以在构思草图的时候检验。

漫画的取名

完成底稿

卡通人物的画法

人物的脸形

　　画卡通人物的头部时，我们往往把它概括成一个圆球形或蛋形。要记住这是个立体的球，在这个立体的球上面，我们可以画垂直或水平向辅助线，加上五官就形成了最初的卡通头部造型。你可以将它进行任意角度的转动，把这个球体想像成有弹性的，你可以将它任意拉长、压扁、扭曲。

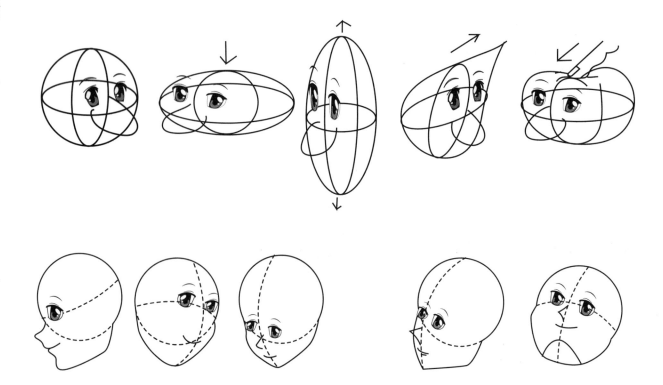

脸部的不同朝向（以人物为基标） 把握好脸部的方向性是决定能不能把人物的神态刻画准确的关键。

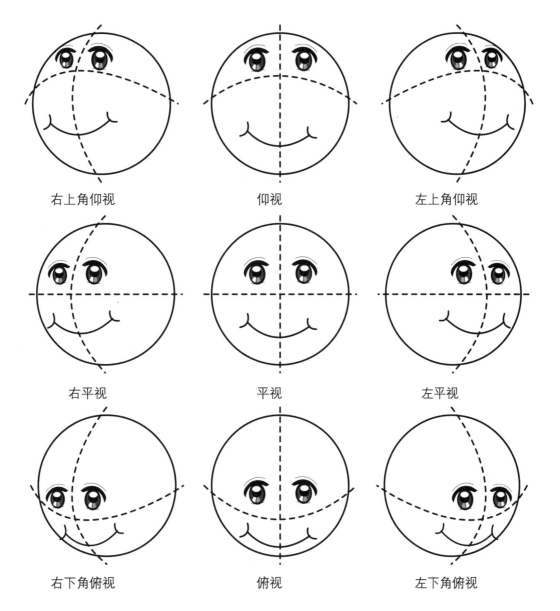

右上角仰视　　　　　仰视　　　　　左上角仰视

右平视　　　　　平视　　　　　左平视

右下角俯视　　　　　俯视　　　　　左下角俯视

最常见的基本脸形　　在卡通动漫世界中，最常见的脸形有圆形脸、三角形脸、方形脸。在绘制时可先画一个圆形并确定水平及垂直线，从水平线与圆两侧的相交点处向下引伸出不同形状就能构成我们所需要的脸形。在塑造人物形象时可任意调脸部的形状以达到你想要的形态。

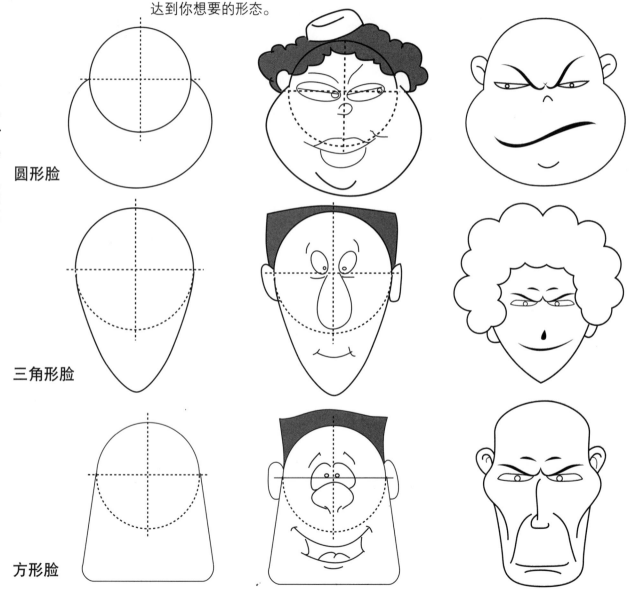

圆形脸

三角形脸

方形脸

人物的五官

眼睛的认识

　　眼睛是一个球体,它被上眼睑和下眼睑包裹着,位于脸部结构的眼窝内。眼睛的最高及最低点分别位于眼睛宽度的三分之一左右。

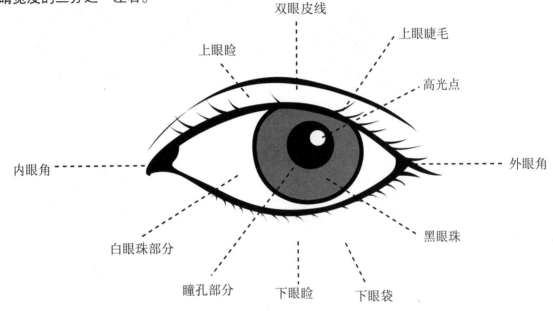

双眼皮线

上眼睫毛

高光点

上眼睑

内眼角

外眼角

黑眼珠

白眼珠部分

瞳孔部分　下眼睑　下眼袋

眼睛的绘画实现过程

勾勒眼睛的基本线　　确定瞳孔区域　　确定高光点及反光点　　添加睫毛

眼睛的不同表现形式

　　对于眼睛的绘制只要把握好几个重点的部分，如眼睛的轮廓、上下眼皮、瞳孔。眼睛的轮廓可在圆形及方形之间转变；眼睫毛可上可下，可有可无；瞳孔部分要注意高光及黑眼球的表现。其余部分自由发挥就可以刻画出形象的眼睛来。

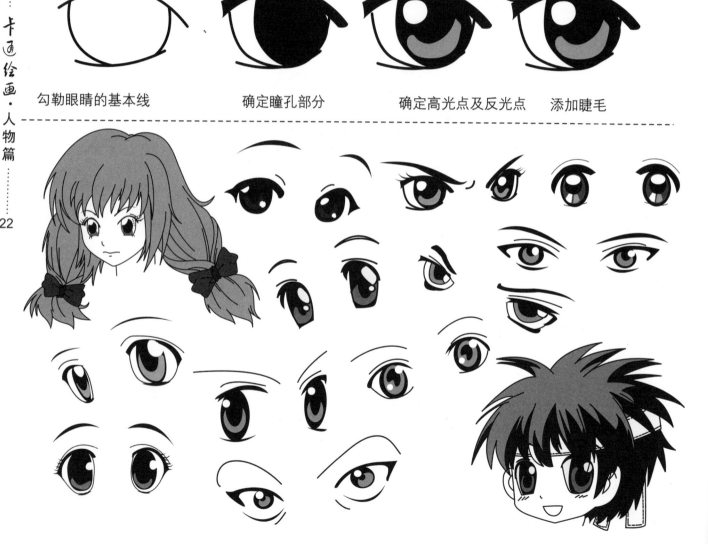

勾勒眼睛的基本线　　　　确定瞳孔部分　　　　确定高光点及反光点　　添加睫毛

眼睛的不同表现形式

　　眼睛是心灵的窗户，通过这双眼睛展现了不同的神情：顽皮、疑惑、惊恐、伤心、疑问……

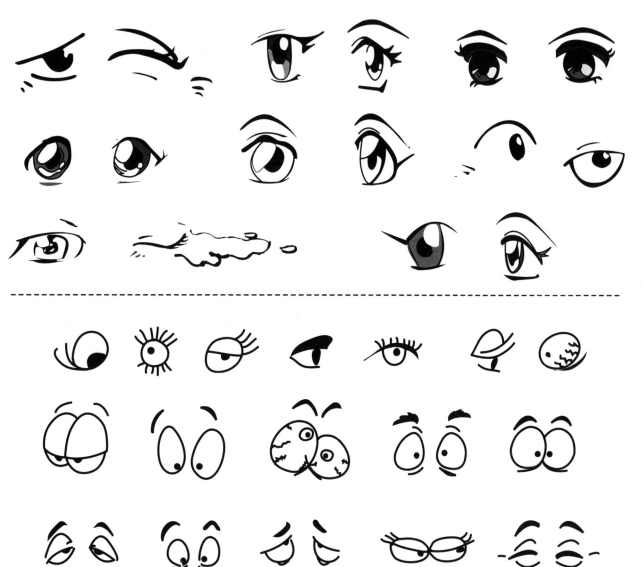

鼻子的认识

在绘制鼻子时，只需要将鼻尖突出就能刻画出整个鼻子的感觉，有时也略加鼻孔来细化或者用渐变条来描述鼻梁的形态。

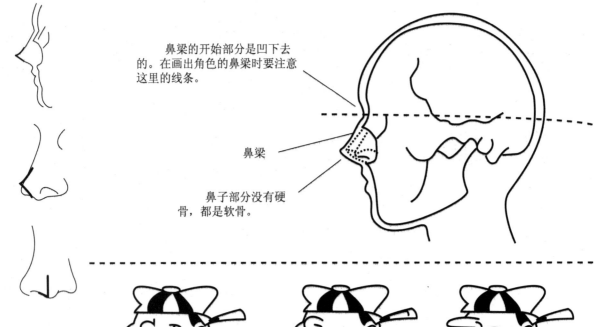

鼻梁的开始部分是凹下去的。在画出角色的鼻梁时要注意这里的线条。

鼻梁

鼻子部分没有硬骨，都是软骨。

鼻子的汇总

鼻子在脸部的中心，造型突出，引人注目，有长鼻子、短鼻子、鹰钩鼻子、圆头鼻子、小扁鼻子等。不同的鼻子造型对人物面部结构有着很大的影响。

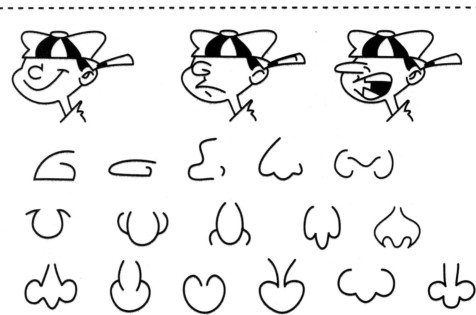

耳朵的认识

耳朵主要由轮廓与内部两部分构成，与实际接近，常用两种色块以示区别。

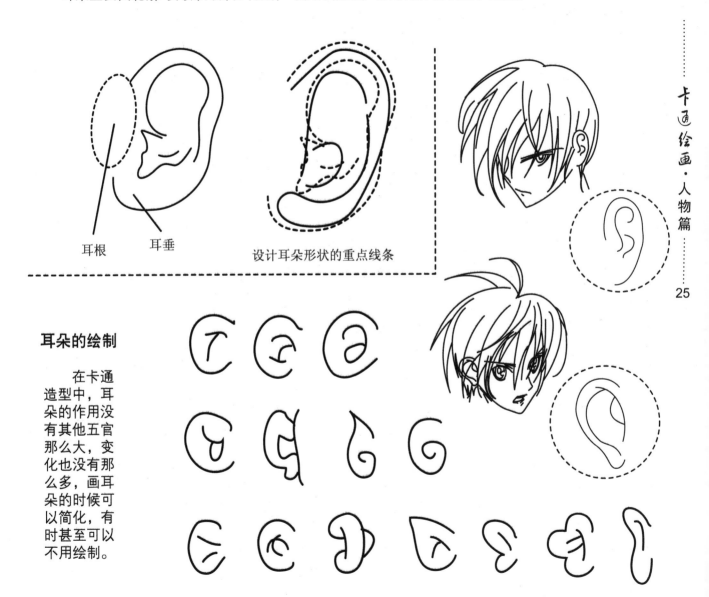

耳根　　耳垂　　　　　　　　设计耳朵形状的重点线条

耳朵的绘制

在卡通造型中，耳朵的作用没有其他五官那么大，变化也没有那么多，画耳朵的时候可以简化，有时甚至可以不用绘制。

嘴的认识

上唇与下唇的动作可以表现感情与性格，决定人物的形象。上唇与下唇的接触面用一根线就能完整地表现嘴部轮廓。绘画时先画出上唇与下唇交接的那根线，再定出宽度和上下唇的厚度。

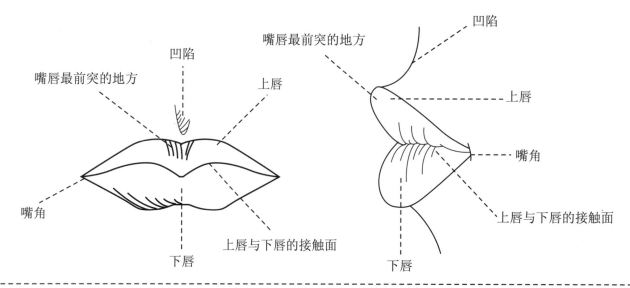

嘴的绘制

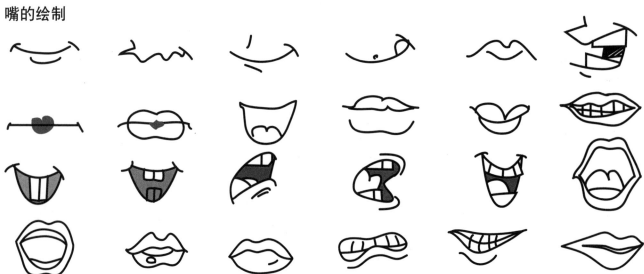

胡须的画法

在卡通造型中，胡须的作用在一定范围内是非常奇特的。圣诞老人的胡须给人亲切自然的感觉，老头的几根山羊胡子让人感到传统和保守，乐师上翘的八字胡子给人活泼、俏皮的感觉。

卡通人物的头发

卡通头发简单明了，仅仅几笔，就能形象地勾勒出人物的性格。画法灵活，容易掌握。

美少女的头发

女孩的发型式样很多，在画头发的时候，最重要的是注意头发的层次感。

美少男的头发　　每一股头发可以是纤细而直长的，也可以是粗而弯曲的。你可以把头发画得非常细致，或非常简单，全在于你所绘头发股数的多少了。

勾勒出
基本的轮廓

用曲线代表
每股头发

根据曲线
画出两侧的线
并围成一个闭合区域

人物的表情

因为快乐所以大笑，因为悲伤所以流泪……表情就是这样自然地呈现。在绘制时将五官刻画清晰就能表达人物的表情。

惊恐　　　　惊喜　　　　呼叫　　　　思考　　　　快乐

沮丧　　　　吃惊　　　　悲伤　　　　惊吓　　　　疑惑

吃惊的表现

愤怒的表现

欢笑的表现

疑惑的表现

冷峻的表现

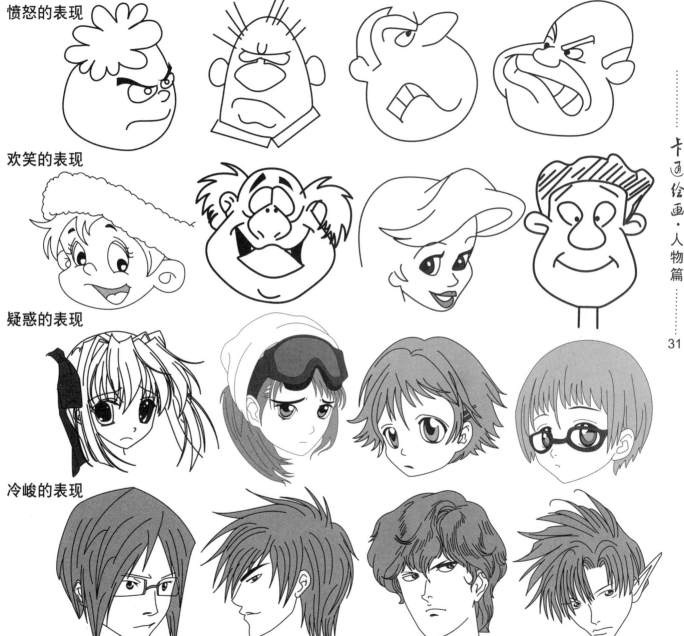

骨骼

在画人体的时候，粗略地了解骨骼的大致构造也很重要。

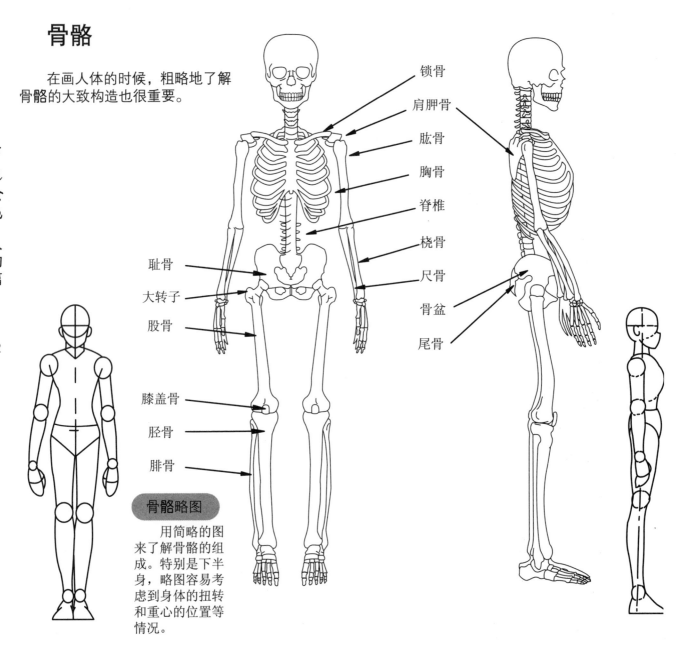

锁骨
肩胛骨
肱骨
胸骨
脊椎
桡骨
尺骨
骨盆
尾骨

耻骨
大转子
股骨

膝盖骨
胫骨
腓骨

骨骼略图

用简略的图来了解骨骼的组成。特别是下半身，略图容易考虑到身体的扭转和重心的位置等情况。

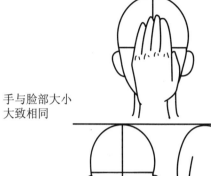

笔触呈圆形来画

手与脸部大小
大致相同

重点

在画胸骨时，要首先意识到第七颈椎，然后从那里画个圆圈，再接着画。

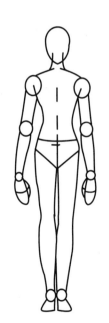

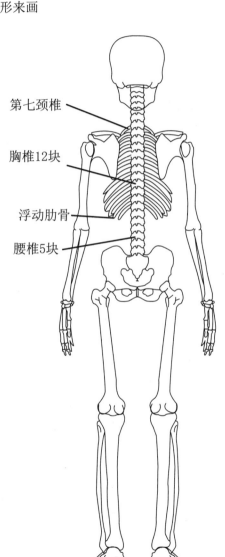

第七颈椎

胸椎12块

浮动肋骨

腰椎5块

上臂为头的
1.5倍

包括手在内的
下臂相当于两
个头长

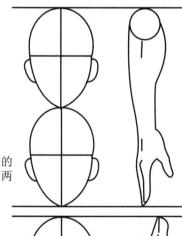

男女的比例

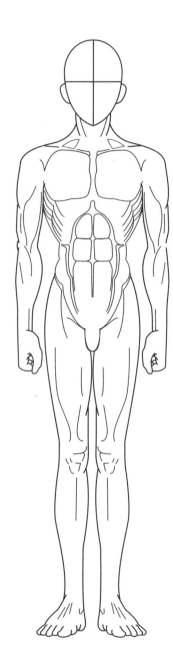

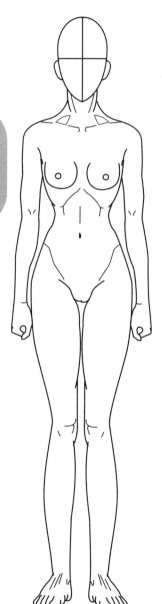

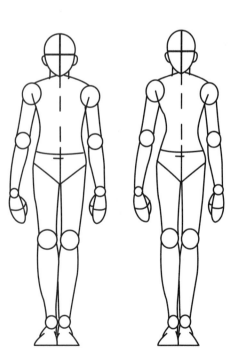

男女的比例差异在于：女性的胸部骨骼较小，而腹部相对来讲，男性的稍长，女性的稍短，女性的臀部较圆，骨盆较宽大。

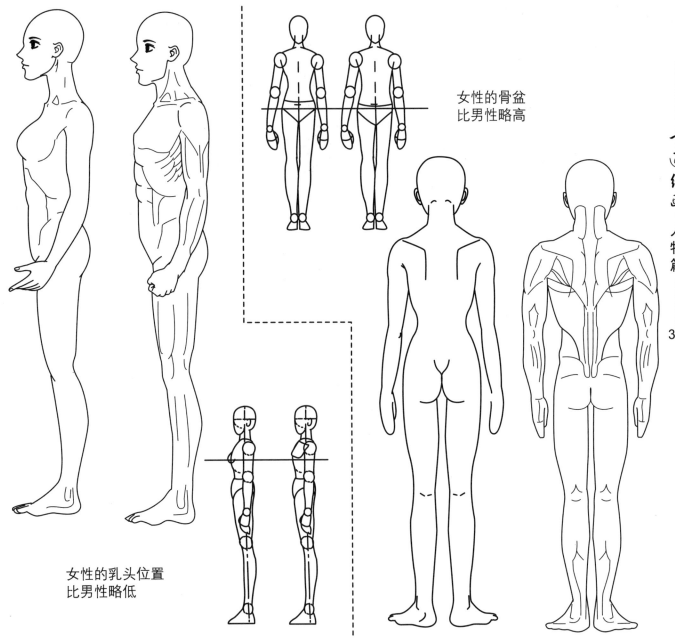

女性的骨盆
比男性略高

女性的乳头位置
比男性略低

不同年龄人物的比例

身体因年龄不同而有所变化！

随着人的成长，脸部和身体的平衡会变化。在对此有所了解的基础上，画画时巧妙地加以区别。

正面

	头身
	8
	7
	6
	5
	4
	3
	2
	1

年龄　20岁　　16岁　　10岁　　7岁　　5岁　　1岁

侧面

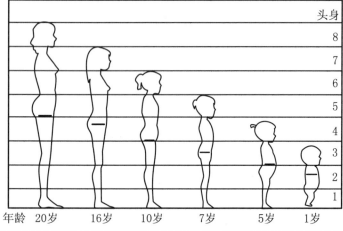

	头身
	8
	7
	6
	5
	4
	3
	2
	1

年龄　20岁　　16岁　　10岁　　7岁　　5岁　　1岁

特点

中心位置随着年龄的增加而逐渐往下。大人在大腿根部，小孩在胸部。

脸

特点

1-5岁时鼻子短而朝上，头发较少，10岁有下巴，20岁眼睛位置偏上。

中心

年龄　　20岁　　　　10岁　　　　5岁　　　　1岁

全身的构造

人体因为有关节，所以能弯曲，下面我们用柱体和椭圆来画全身。

通过了解人体结构，可以画得更加正确、细致。

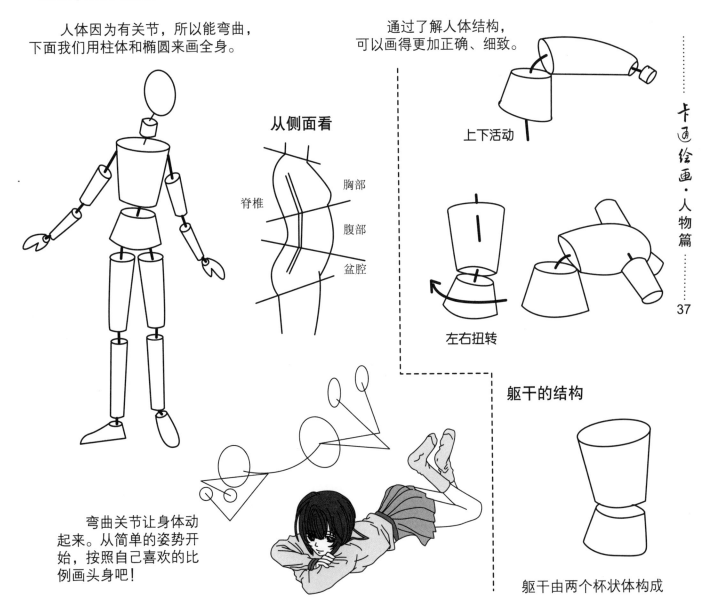

从侧面看

脊椎

胸部

腹部

盆腔

上下活动

左右扭转

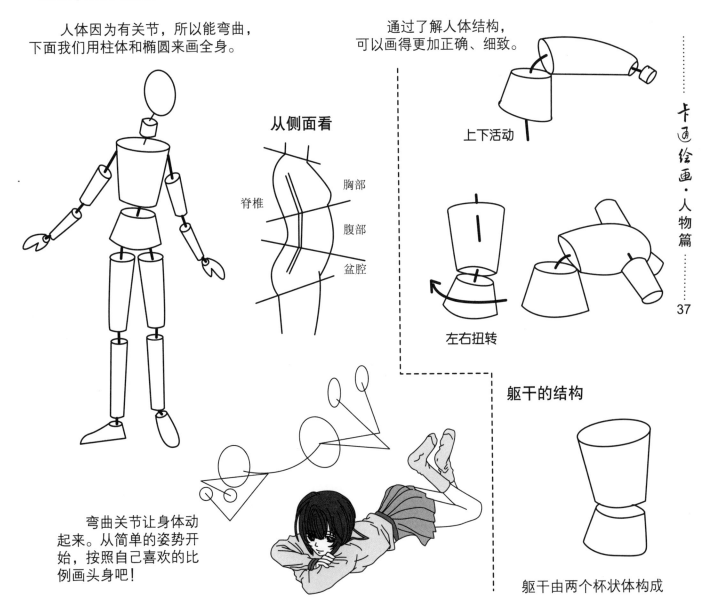 部分图中标注：

弯曲关节让身体动起来。从简单的姿势开始，按照自己喜欢的比例画头身吧！

躯干的结构

躯干由两个杯状体构成

手臂、手、脚的画法

手臂的画法

手臂是把两个圆柱体用关节连接起来后的形状。

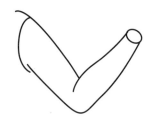
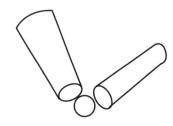

手的画法

习惯用右手的人可以看着自己的左手来画。右手用透写法或照着镜子画也很轻松。

第一关节及第二关节的弯度与指甲的弯度相同

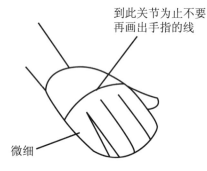

到此关节为止不要再画出手指的线

微细

第一关节与第二关节一样大

要注意这儿的弯度

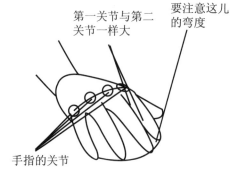

手指的关节

蹼

女性的手

手部线条圆润，四指纤细，更加柔美。

男性的手

手部线条棱角分明，四指粗短，更加刚毅。

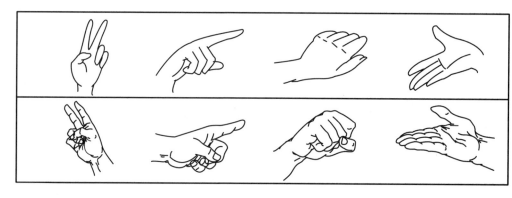

脚的画法

腿和臂膀一样，
形状近似圆柱形。

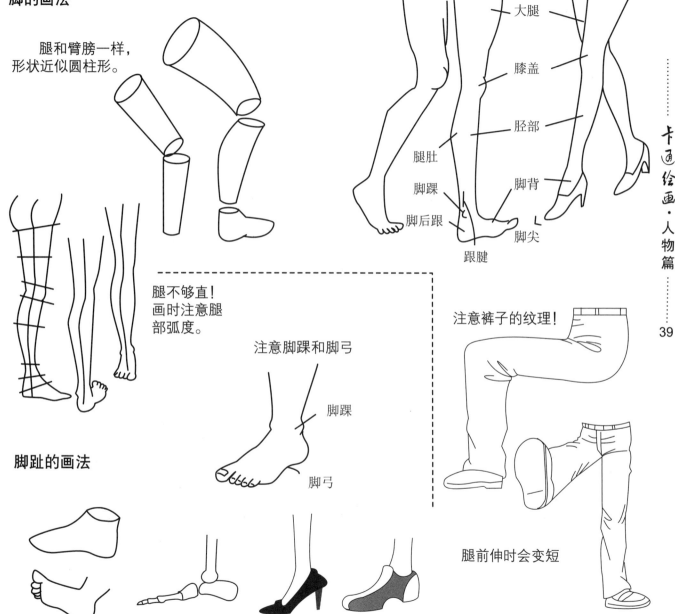

大腿

膝盖

胫部

腿肚

脚踝

脚后跟

脚背

脚尖

跟腱

腿不够直！
画时注意腿
部弧度。

注意脚踝和脚弓

脚踝

脚弓

注意裤子的纹理！

脚趾的画法

腿前伸时会变短

运动的画法

手脚向前伸出的姿势比较难画，需要多多练习哦！

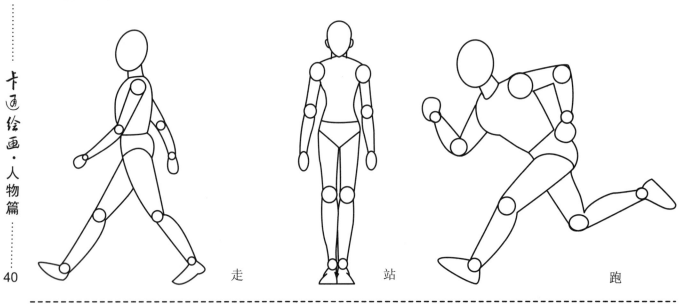

走　　站　　跑

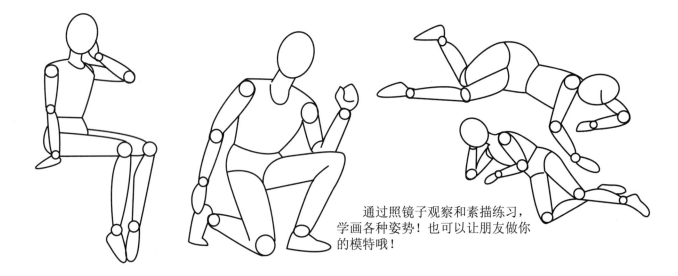

通过照镜子观察和素描练习，
学画各种姿势！也可以让朋友做你
的模特哦！

画跑姿时注意手与脚的位置

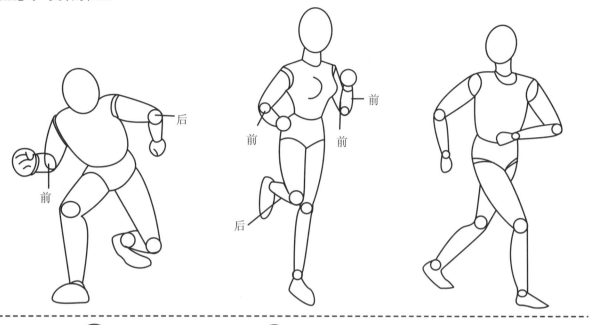

后

前

前

前

前

后

坐姿时腿向前

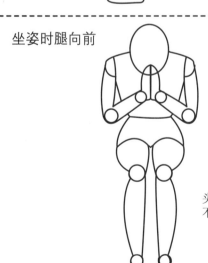

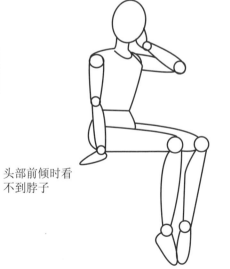

头部前倾时看
不到脖子

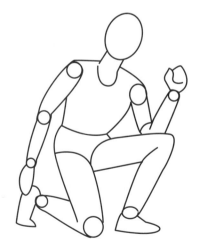

女性体态的表现

女性的躺姿委婉而婀娜。在绘制的过程中，注意体态中手臂的动作，整体的协调性。

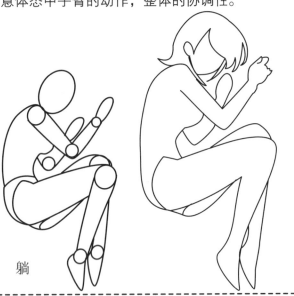

躺

为人物设定形态轮廓，注意身体比例，画出底稿，然后完成细节部分的描画，最后进行上色。

跪

男性体态的表现

在绘制时注意将服装剪裁细节表现出来，同时注意纽扣的样式表现，人物的发型及体态。

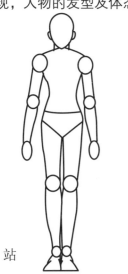

站

绘制蹲姿，除了体态刻画得细致外，还应注意发型、服装、遮阳帽等细节处。

蹲

女性和男性画法上的区别

女性的特征

臀部较大，肩膀较窄

　　女性的一大特征就是臀部比较宽，肩膀比较窄。可以说，女性的身体以臀部为中心形成橄榄形。

全身都是弧线

　　女性与男性相比，骨骼很细，肌肉也相对较小。但脂肪比较多，身体的线条都是柔软的曲线。

手和脚都很小，胳膊和脖子都细

　　女性的手和脚与男性相比显得比较小。手因为有皮下脂肪，所以显得十分圆润，手指纤细。

表现出女人味

　　圆润的腰部曲线，纤长的脚和肩膀表现出女人味。

男性的特征

肩比较宽

骨骼和肌肉十分粗壮，胳膊与肩都显得很发达，肩很宽。与肩的宽度相比，臀部比较窄，整体来看体型呈倒三角形。

肌肉和关节棱角分明

因为男性的关节和肌肉比较发达，脂肪相对较少，所以骨骼和肌肉的凹凸非常明显，全身凹凸分明，易用直线来造型。脖子上有斜向延展的胸锁乳突肌，可以表现出男性的强壮。

手和脚都很大

男性手和脚的指关节都比较粗，胳膊和腿很结实。脖子也粗。比较男性和女性腿的骨骼，女性双腿呈x形，男性呈o形。

表现出男人味

肩膀很宽，强调出发达的肌肉可以体现出男性特征。多用直线，棱角分明。

美少女的展示

美丽充满活力的女孩们

　　美少女的特质不仅在于她的体态与服装带来的视觉感，更重要的是生命的活力与朝气。

美少男的展示

力量与征服的代言

美少男的世界中，不仅仅拥有青春的活力，更多的是通过他们的体态与表情，反映出内心的狂野与冷峻，在这一点上与女性有着很大的区别。

婴幼儿的画法

画婴儿的秘密

婴儿头部较大，眼睛位置略偏下，前额和脸颊外突。但下巴尚未出来。

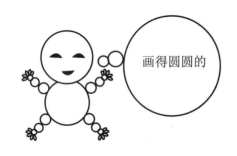

画得圆圆的

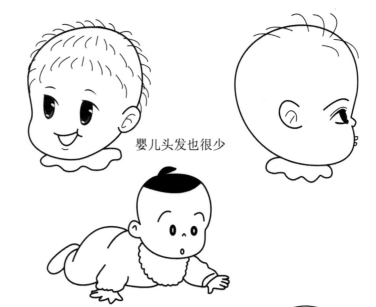

婴儿头发也很少

画幼儿的秘诀

和婴儿相比，头发增多，脖子也稍长。眼睛位于脸的正中间偏下。

孩子们的眼睛大而清澈,表情可爱,肢体短粗,动作笨拙,总能给人由衷的快乐。

中年人的画法

中年人明显的特征就是略微显胖，特别是外突的肚子，表达时要惟妙惟肖。

肚子外突

即使是瘦子，肚子也是外突的

胖人没有脖子

脸上出现眉间纹和笑纹。

头发渐渐脱落，也有了胡子。

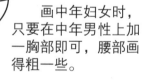

画中年妇女时，只要在中年男性上加一胸部即可，腰部画得粗一些。

老年人的画法

老年人随着年龄的增加，皱纹也应随之增加，头发也变得更少。和年轻人相比，脊椎骨较弯曲。

颈椎

胸椎

腰椎

骶尾椎

老年人　年轻人

腰的弯曲度近似于找掉在地上的东西时的弯度。

胸部下垂

拐杖　弯腰屈腿

卡通服饰的画法

服装在人物中的体现

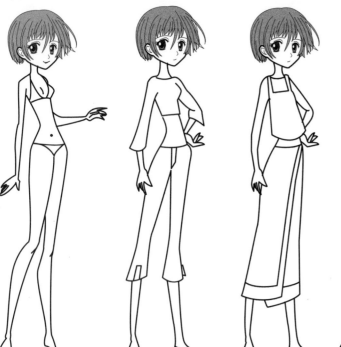

衣领的变化

美少女的服装

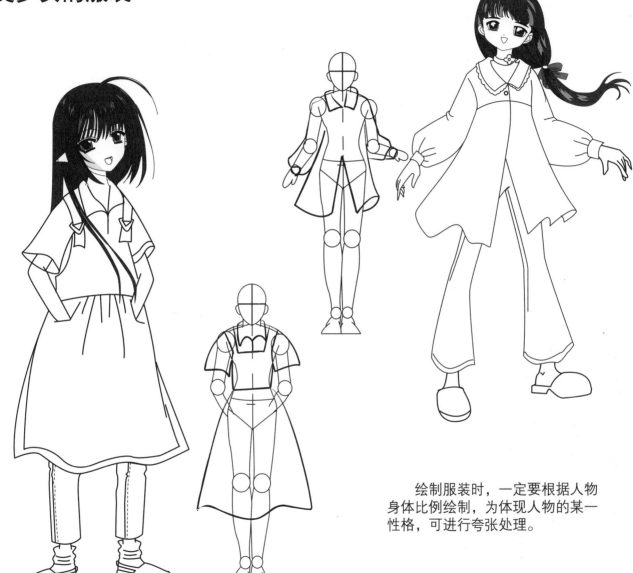

绘制服装时，一定要根据人物
身体比例绘制，为体现人物的某一
性格，可进行夸张处理。

上衣篇

日本漫画的特色是精致、华丽的服装和一丝不苟的对线条的处理。

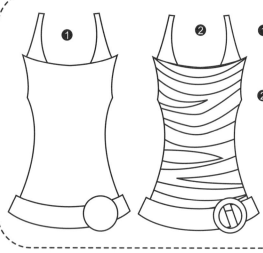

❶ 勾勒出上衣的基本轮廓，这个过程相对简单。

❷ 添加上衣中花纹，采用曲线条描绘轮廓。将上衣底部的钎子画出圆圈的感觉，并将钎子下面的底边断开。

裙子篇　画裙子时，先得确定裙子的质地、厚薄，如果是丝绸一类较软的衣料，线条应该柔和且较多；牛仔裙可以尽管减少纹路，线条硬朗。平时可以先参照衣纹练习，观察褶皱与被覆盖物体间的关系，多看多画多比较.

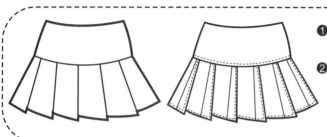

❶ 绘制短裙的轮廓，并勾勒最初的褶皱效果。

❷ 在前面的基础上，添加缝线的效果，并在褶皱的裙摆上添加代表阴影的线。

可爱型裙摆装饰
往往少不了蕾丝
花边的衬托，且
裙摆较大。

休闲牛仔
装，偏于
中性，更
显帅气，
爽朗。

晚装

公主裙精致、高
雅，多配有蝴蝶
结，使女孩更显
娇嫩，犹如温室
里的花朵。

学生装简洁
大方，青春
有活力。

淑女裙含蓄，唯美。

裤子篇　　绘制裤子的时候，注重裤腰部的细节，将缝纫处的线隙通过虚实线表现出来。同样在前面及侧面裤线处均采用同样的方法，这样看起来细致精巧。

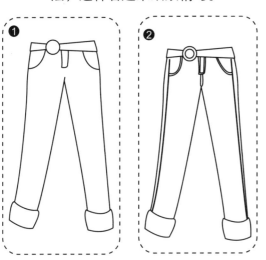

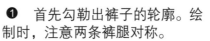

❶　首先勾勒出裤子的轮廓。绘制时，注意两条裤腿对称。

❷　在此基础上添加细节，如对腰带的处理。

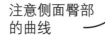

注意侧面臀部的曲线

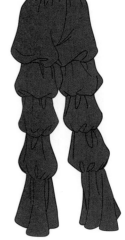

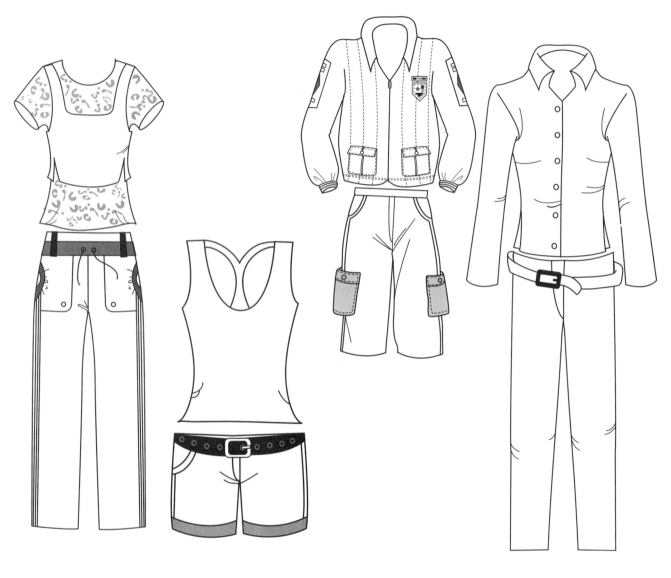

美少女的饰品

头饰篇

  头饰的搭配对塑造少女形象起着至关重要的作用，不同款式的头饰可以反映出少女的性格爱好，并让少女更加美丽。

女佣式头花更好地体现了少女的女佣形象，并让女孩显得更加楚楚动人，惹人怜爱。

发带非常时尚，常用于大小姐或摩登女郎，以突显她们高贵的气质。

毛绒耳套用于寒冷的冬天，茸茸的耳套使女孩显得更加可爱俏皮。

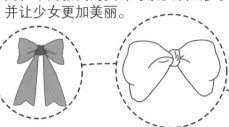

帽子篇

　　不管是酷热的夏日还是寒冷的冬季，各式各样种类繁多的帽子，已经成为时尚一族必不可少的陪衬品。

帽子的绘制过程：

1. 勾勒帽子的轮廓。　2. 处理帽檐、帽子的花纹。　3. 为帽子添加适当颜色。

　　绘制时要注意对帽子毛的处理，间隔较细的折线可以使毛看起来更细腻。

 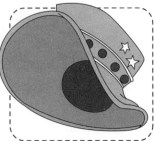  

卡通绘画·服饰篇

耳环篇

少女的耳环闪耀夺目，不仅散发着时尚的气息，同时也点缀着女孩的美丽，展现出楚楚动人的一面。绘制时注意质感的体现，在设计造型上简洁大方。

宝石的绘制方法

1. 以圆形为底。 2. 内置六角星，六角星外角直线相连。

3. 直线连接其内角，形成六边形。

4. 六边形中心为轴点点相连。 5. 绘制出卡角。

6. 找好明暗角度，上色完成。

耳环的绘制过程 1.设计出耳环的外观；大多简单的耳环均以圆形为主。

2.根据少女肤色、性格的不同，为耳环填充适当颜色。

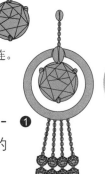

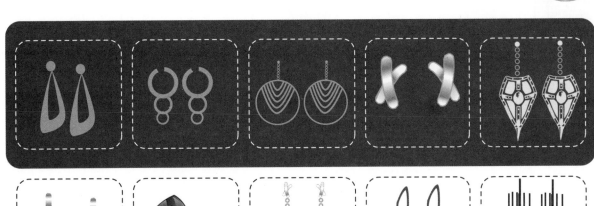

项链篇

少女有很多种不同款式、不同风格的项链。通过服饰、颜色等的搭配，展示出少女的时尚前卫、俏皮可爱。

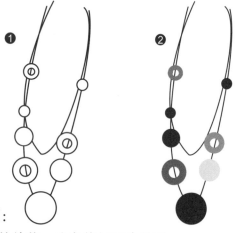

项链的绘制：

1.勾勒项链的外貌，注意找好层次关系。

2.通过不同的颜色完成最终效果。

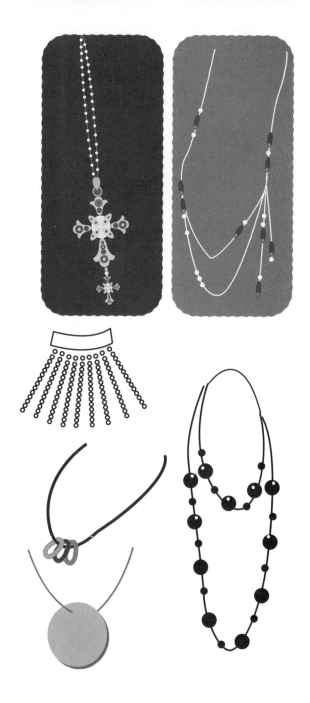

胸花和眼镜篇

　　样式各异的胸花使少女展示出不同的性格。

　　不同款式的太阳镜，彰显出不同的个性。闪耀的白色镜框，是时尚一族的首选。在白色镜框的映衬下，也使得镜片的颜色更为突出、明亮。

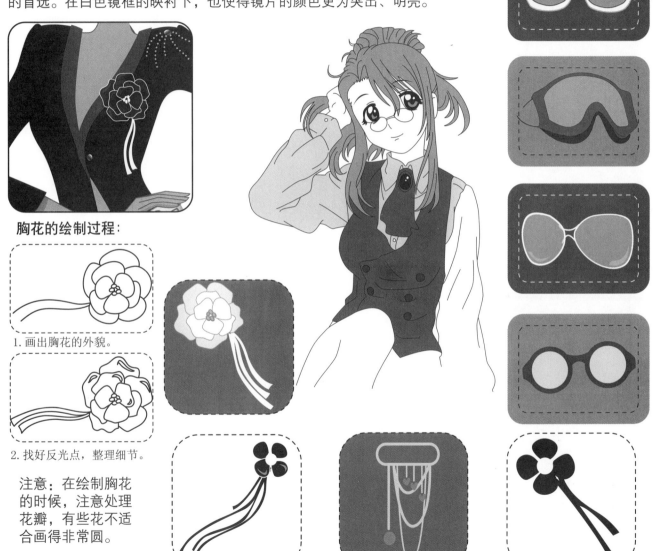

胸花的绘制过程：

1. 画出胸花的外貌。

2. 找好反光点，整理细节。

注意：在绘制胸花的时候，注意处理花瓣，有些花不适合画得非常圆。

背包篇

少女的包样式繁多，没有局限性，发挥你的想象力，一起动手画出自己的个性包包。

64

背包的绘制方法

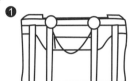 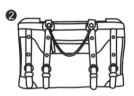

1. 绘制出背包的大体轮廓图。

2. 在原有的基础上勾勒出背包的花纹等细节。

鞋子篇

鞋子的绘制方法：

不管是高跟鞋还是长筒靴，都经三步完成绘画。第一步，设计出鞋子的外观，勾勒出轮廓。第二步，在此基础上绘制细节，分清层次，如对光影的处理。第三步，着色，达到最终效果。

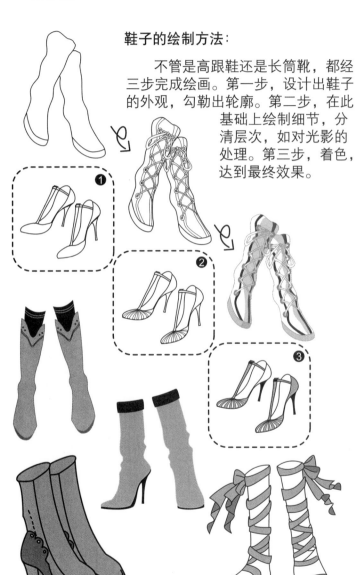

少女的鞋子，特别要注意高跟鞋的画法，根据脚的比例来绘制鞋子，要注意鞋尖的处理和鞋跟的高度。

美少男的服装

上衣篇　金属感上衣，体现男性的英姿飒爽；正装西服，体现男性英姿勃勃；休闲上衣更显青春年少。

男性服装相对女性服装线条更加挺直，样式和花色也更为简单一些，但实用性强。

裤子篇

画裤子时需注意实线与虚线的巧妙结合，注意褶皱的绘制和线条的粗细，增加真实感。

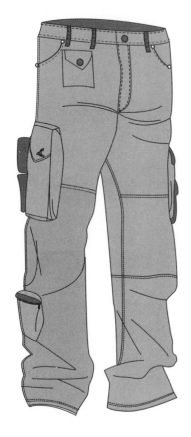
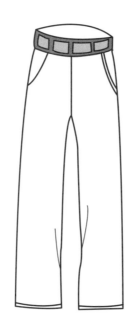
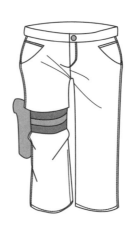
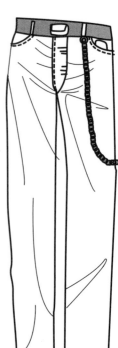
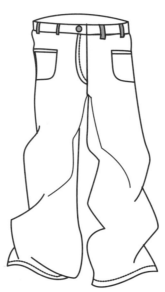

美少男的饰品

少男饰品要注意金属感与硬度感，以体现少男的硬朗。

手链

标牌

十字架胸坠

军牌

项链

帽子

护腕

腰带

手环

美少男的兵器

绘制武器，要增加它的质感及重量感，线条以实线为主。

剑的整个线条感觉比较利落、洒脱，以直线为主。

刀的线条感觉比较飘逸，多以长的曲线为主。

锤子应该是重的、钝的。所以可以将线条运用得粗短一些。

卡通动物的画法

动物各器官的画法

动物的眼睛

卡通动漫中的动物与人有着相似的表情，绘制眼睛时需要刻画出眼睑、眼睫毛、眼珠及眉毛。

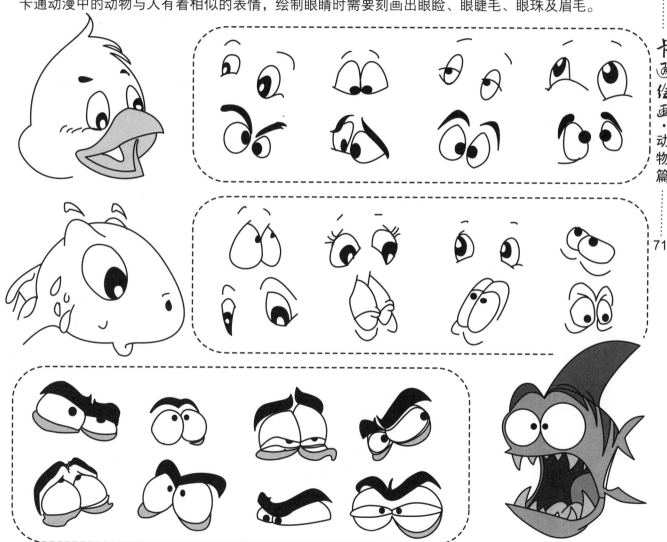

动物的鼻子与嘴

根据动物本身鼻子特性进行卡通化，为显可爱，线条尽量圆滑。

嘴巴在原有基础上进行简化处理，尽量简洁。

熊

鸭子的鼻子用两个圆圈来表示即可，绘制重点在嘴上，要画出扁平的感觉，在此基础上可稍加变形，显得更加可爱。

鸭子

猪的鼻子具有非常典型的代表性，宽宽的鼻子切片，两个分明的圆洞鼻孔。

猪

大象

动物的耳朵

绘制耳朵要注意耳内的褶皱，对不同的动物可进行适当的夸张变形。

蚂蚁长着一对触角，但在卡通世界中常将其夸张成耳朵的感觉。

猴子的耳朵小而圆。在绘制时出现在脸的两侧，圆形的外部轮廓，"6"字形的内部描绘。

兔子的耳朵在动画片中是经典的展示，长而充满动感，耳朵的变化就可以反映出兔子思想的变化。

羊的耳朵在羊角的两侧。

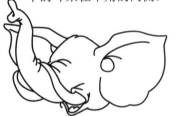

大象的耳朵如蒲扇般宽大，在绘画时应注意层叠的褶皱感。

鹿的耳朵短小而机灵。

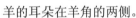

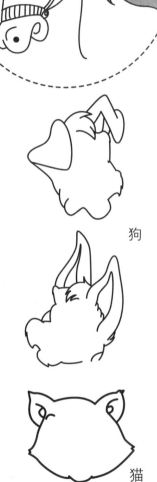

狗

猫

动物的毛

头毛

浑身长满毛的动物在绘制时会有难度，但很容易解决，用一条曲线代表身体形态，在关键处画上一些毛就可以说明动物满身长毛。

全毛

局毛

羽毛

绘制羽毛时笔触要更加尖锐，线条要顺畅，具有层叠感。

动物的脚

鸭子

鹅

鹰

鸟

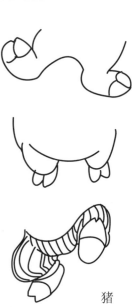

猩猩

猩猩拥有像人一样的脚掌及脚趾。在绘制上要将五个脚趾画全，并有完全的指甲。

猫

绘制时要突出脚垫，并且脚趾简化为三个。

猪

小猪的脚在绘制时要突出两个半弧形状的蹄子。

猫

1.画出猫咪的基本轮廓,确定眼睛的位置,添加四肢,表现出大致形态。

2.细化眼睛、鼻子、嘴,画出部分毛发,最后刻画出一只灵气活现的小猫咪。

①

②

学会了猫咪的基本画法之后,我们可以将它拟人化,画出帽子和衣服,让它显得更加可爱。

①

②

猫咪走路十分轻盈,所以绘制时要将脚掌画得厚一些。

狗

1.画出狗的基本轮廓，确定眼睛的位置，添加四肢。

2.细化眼睛、鼻子、嘴，注意狗狗胸前绒毛的绘制。

❶

❷

公狗在绘制上与母狗不同，鼻子更大一些，身体的绘制多为弧形。

❶

❷

兔子

1.画出兔子的基本轮廓，画出外突起的脸颊，身体呈现葫芦状。

2.细节处理，局部调整，最后一只活泼可爱的兔子就绘制完成了。

❶ ❷

在上述基础上，我们可以改变兔子的五官，让它拥有更多丰富的表情。

❶ ❷

长耳朵是兔子最大的特点，要仔细绘制哦

小鸟

鸟的绘画步骤

1.画出鸟的大体轮廓，注意翅膀和爪子的前后关系。

2.对眼睛、四肢、羽毛进行细化处理。

❶ ❷

掌握了小鸟的基本画法之后，我们可以发挥想象力，对小鸟的眼睛、嘴和体态进行夸张变形，使小鸟拥有丰富的表情。绘制时注意羽毛的流畅度和小鸟的身体比例。

❶ ❷ 害羞

傲慢

思考

疑问

小鱼

1.画出鱼的大致轮廓，发挥想象力，勾出你想要的形状。

2.将勾勒出的轮廓进行细化，画出眼睛、牙齿，完成最终效果。

① ②

① ②

注意：绘制时要根据鱼的身体比例进行适当夸张变形，不要过于夸大，以免失去真实感。

猪

猪的绘画步骤

1.画出猪的大体轮廓，线条圆润，以体现猪胖嘟嘟的感觉。

2.添加细节，着重绘制猪鼻子、猪耳朵和猪脚。

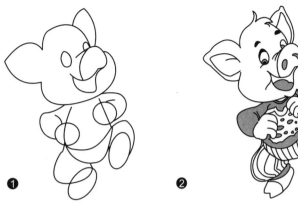

❶　　❷

绘制猪宝宝的时候，笔触圆滑，表现出猪宝宝憨憨的感觉，着重对眼睛进行刻画夸张，以达到不同的效果。

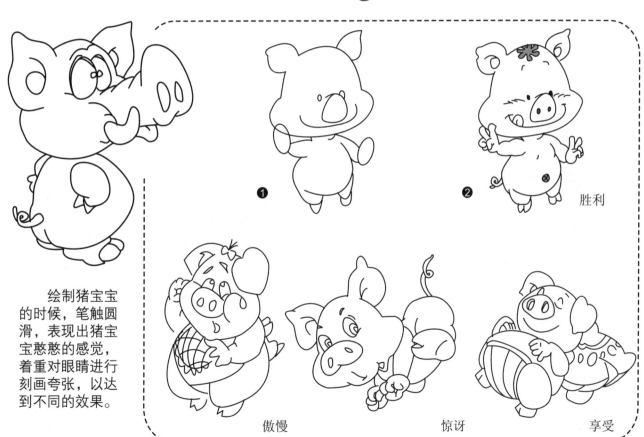

❶　　❷　　胜利

傲慢　　惊讶　　享受

猩猩

猩猩绘画步骤

1.猩猩的特点是手臂较长，鼻孔宽大，在绘制轮廓时就要将这些表现出来。

2.细化五官和四肢，进行上色整理，最终完成猩猩的绘制。

狮子

❶

1.画出狮子的基本
轮廓，确定五官的
位置，添加四肢。
画出蹲坐的形态。

❷

2.将眼睛、鼻子、
嘴进行细化，画出
胸前、四肢、尾巴
的毛发。

1.画出站立小狮子的基本轮
廓，与蹲坐狮子不同的是
要注意四肢的前后关系。

2.将眼睛、鼻子、嘴进行细
化，仔细观察胸前毛发的绘
制。

❶

❷

大象

1.画出所要表现大象的基本形态，对大象的耳朵、鼻子进行仔细定位。

2.将鼻子、耳朵进行细化，给大象穿上衣服，进行拟人化处理。

1.画出象坐姿的基本轮廓，线条尽量圆润。

2.细部刻画，绘制褶皱时笔触要轻柔。

恐龙

恐龙绘画步骤

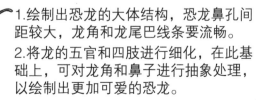

1.绘制出恐龙的大体结构，恐龙鼻孔间距较大，龙角和龙尾巴线条要流畅。

2.将龙的五官和四肢进行细化，在此基础上，可对龙角和鼻子进行抽象处理，以绘制出更加可爱的恐龙。

卡通场景的画法

生活用品

方形、圆形是打开绘画世界的一扇门，通过这扇门能够创造出更加丰富多彩的世界。

圆形与矩形的变化构成了杯子与水瓶的整体轮廓。

矩形是画板的基础形态，也是最终形态。

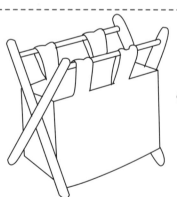

矩形的组合完成了小筐的构造。

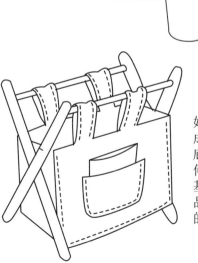

从圆形开始至矩形转变成光滑的曲线底边，无论如何均没有逃脱基本图形对物品形态结构上的影响。

食品

美食如同漂亮的衣裳或者精彩的游戏，总令人欲罢不能，在绘画时只要拿出那份喜爱与激情就能绘出你心中的感觉。

每个夏天都是冰淇淋的节日，火炬的形状是它深入人心的面貌。

绘制署条需要耐心，尤其最后绘制立体感。

汉堡层层夹心的感觉，在绘制时理顺层次，然后添加每层的细节即可。

夏日奶泡式的冰饮很多，在绘制泡沫时，用曲线相联成闭合不规则的区域，看起来像云像水。

家具

　　针对室内的场景，一开始就要确定好空间上的方位，也就是空间透视感，然后确定好相应的几个面：左、右、顶三个面。最后布置场景中的具体内容。如果自己找不好就找实拍一张照片参考，很容易就能实现。

1. 通过面及线勾绘出空间感，椅子腿采用弧线的形状。一开始的形状越接近实物后面就会越好绘制。

2. 进行细节处理。顶部确定凹陷的位置，桌子及椅子添加了厚度；窗户两侧添加了隔断板；有台阶还有冰箱，均是用简单的线条表现了立体感。

3. 进一步细节处理。在原有的基础上开始添加具体的内容，如冰箱的把手，顶部的灯由一个转变成四个，添加了窗帘及隔断下面开门的把手。

门窗

　　对复杂的门窗，只要从宏观至微观进行分解，就能将其表现得真实而细致。在卡通的世界里还会添加夸张与变形，或者拟人的效果。在动画片中你一定见过会说话的衣橱或者茶杯，想想《美女与野兽》中是不是就有这样的情景呢？

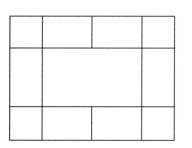 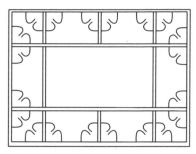 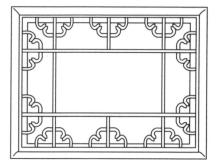

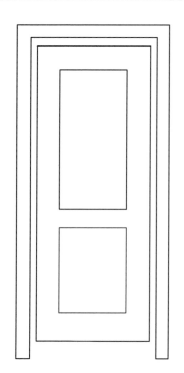 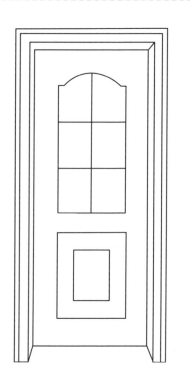 

民居与现代建筑

无论是民居还是现代化的建筑，虽然外形感觉上有不同，但在绘画的技法上却有许多相似。

少数民族的民居，通过直线打出基本的造型来，屋顶部采用了圆形。添加细节，将所有的直线变形矩形，这样看起来房子稳定多了，然后绘制了窗户，就是四个方格，梯子由最开始的两条线变成了可以登踏的梯子了，添加了屋身的横线使得建筑更加清晰明了，最终完成民居的绘制。

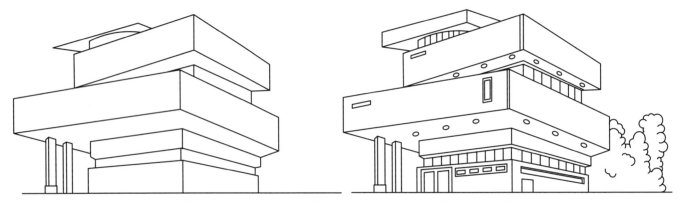

比起民居，现代化的住房要理性多了，因此在开始绘制时可见明显的矩形及线条。虽然没有民居的自然浪漫，现代住房也有其科技的味道，绘画时大量采用了线条表现窗户，用圆形表现了灯。整体结构严谨、新颖、干练。经过细节处理如周围的绿树，最终完成绘画。

透视原理与应用

简单地说，透视的视觉表现就是近大远小，即距离视点近的物体看起来比较大，距离视点远的物体看起来比较小。

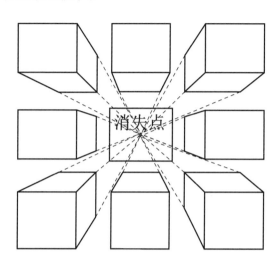

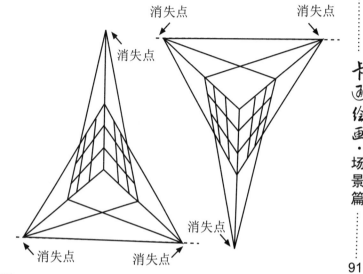

一点透视又叫平行透视。物体有一面始终与视点（两个眼睛所处的平面）平行，与视点平行的面的四边称为原线，由原线向消失点连接产生的线叫变线，也叫透视线。一点透视只有一个消失点。室内透视一般采用一点透视。

三点透视中物体没有一个面与视平线平行或垂直，有三个消失点，原物体的横向透视线向两边的消失点延神，纵向透视线向上方或下方的消失点延伸，一般用于绘制鸟瞰图和仰视图。

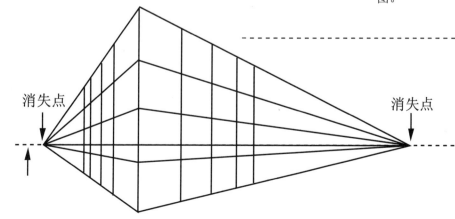

两点透视又叫成角透视，物体没有一个面与视点平行，且有两个消失点，这两个消失点必须在统一视平线上，它的高度线与视平线垂直，通常用来表现室外的建筑。

透视的应用

　　当物体的转角处对着你时，就不能用一点透视法来画了，必须采用两点透视原理来画。

　　首先确定两端消失点的位置和物体的实际高度线，然后根据实际高度线从两端分别向消失点拉出透视线。在运用两点透视原理时，当物体尽头太远而无法将它们显示在画面内的话，可以将消失点移出画面之外。

城堡与教堂

三角凹陷形尖顶，六边形塔楼格局。在绘画时均用直线和弧形就能很好描绘出来。

建筑主体两侧的柱子很有特色，除了自己结构所需要的圆柱形外，还与云形纹及顶部的圆球、十字架结合起来。绘画上难度不大，但要注意整体保持在对称的法则上。

砖墙在绘制时只需画出横线，然后在两条线之间再画上竖排的线条，注意每行要交错排列。

这样的罗马柱是经常见到的，用矩形进行绘制很容易得到梯形。

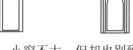

小窗不大，但却也别致精巧，由基本图形相互嵌套而成。

窗户由三角形及方形构成主体。结合了罗马柱及砖墙的风格。

绿草地

　　在表现一片草地时未必真的画满画布，只要在适当的地方随意几笔就会有成片的感觉。

　　一株草在最开始时可以随意地画些曲线，可将这些线看作是草的一边，然后添加另一边就能绘制一株株长相不同的草。一片草的效果，可用前面的方法，只是画弧线时注意方向可朝不同的地方，高、低可随意确定，最后形成一片草的感觉。

　　一团相对比较高的草，在绘制时可随意画些弧线，与前面相同，不同的是将这些线看作是草的中心，然后在两侧再画另外两条弧线，构成最终草的形状。

花

　　绘制花时，无论是盛开的还是含苞未放的，均从画一束向外发散的弧线开始，然后根据弧线画出花瓣的形态，完成花的绘制。

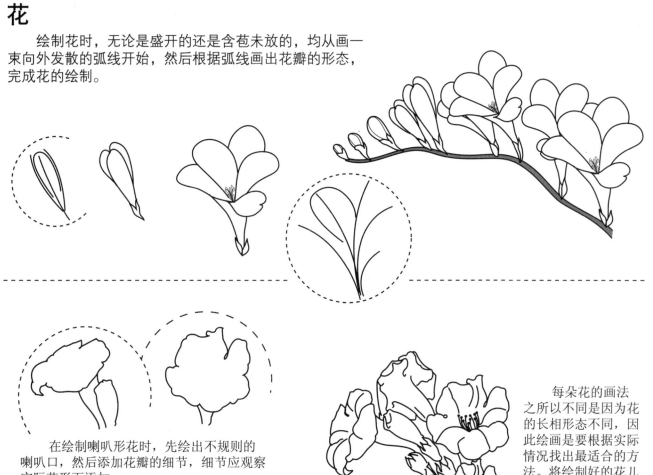

　　在绘制喇叭形花时，先绘出不规则的喇叭口，然后添加花瓣的细节，细节应观察实际花形而添加。

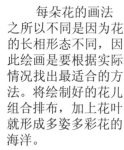

　　每朵花的画法之所以不同是因为花的长相形态不同，因此绘画是要根据实际情况找出最适合的方法。将绘制好的花儿组合排布，加上花叶就形成多姿多彩花的海洋。

树

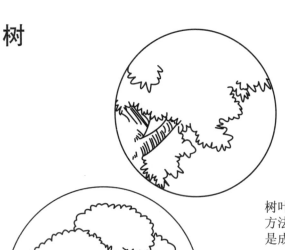

要画好树就应从两方面入手，一是树叶的表现手法，二是树干、树枝的绘制方法。在绘制树叶时可采用单片叶子或者是成片树叶来表现。

树干、树叶是树的主体支撑，在绘制时注重树叶是如何从树干处生长出来，同时注重树皮纹理的表现，可采用横、纵的线条，或者是同样线条的长、短来表达。

天空与大地

　　描绘天空最有效的表现就是画云彩。云的绘制只需要通过曲线相连接就能得到，若要绘制更加丰富多姿的云彩可根据实际的云来描绘。

　　大地的描绘远比天空复杂得多，若要简洁只需要一条弧线就能表现出大地，但由于大地上会有山丘、草地、石头、树等，因此在绘制时会丰富多彩。一副好的描绘天空大地的图片，不仅云表现得精彩，同时大地绘制得丰富，层次分明。

山脉与悬崖

再巍峨的山脉也是由曲线及直线描绘而成。在此应注意山脉的凹凸衔接。

岩洞里的石头，在绘制时注意流淌的感觉和点滴堆叠的层次感。在这里通过共线及细线很容易地表现出来。

尖尖的山峰，平滑的山体。在绘制时简洁明了。

对于悬崖峭壁，在绘画时会有一个平台，很清楚的边缘与陡峭的悬崖相接。绘制时只需一两条直线或曲线就可作为与面的衔接方法。

每座山的构成不同，也呈现出不同的外貌。在此用曲线表现了山脉的走向与纹理。

河流湖泊

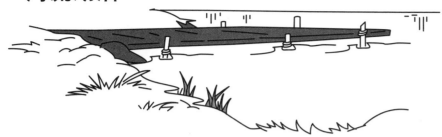

伸进湖泊里的小码头，有木质的柱子在水中支撑，每根柱子底部均有水波纹在萦绕，以显水面的宁静与动感。

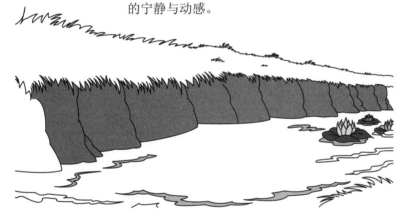

水的流淌可采用曲线围成的闭合区域来表现，可一条也可多条，中间也可以夹杂单独的曲线。

两岸绿草葱葱，流水潺潺。水中盛开荷花，波光粼粼。

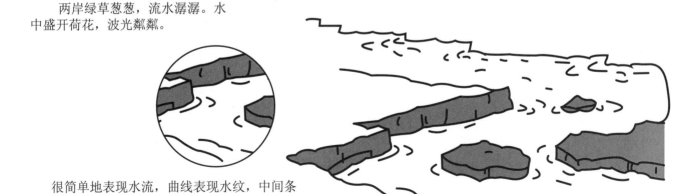

很简单地表现水流，曲线表现水纹，中间条条线条用来表现向前流动的水流。

水

水在绘制时常用曲线，水花部分要形成闭合的不规则形状，同时加载水滴的效果。水晕用曲线围成圆形的感觉。山脚下的水一定画出围绕山的感觉。

飞机

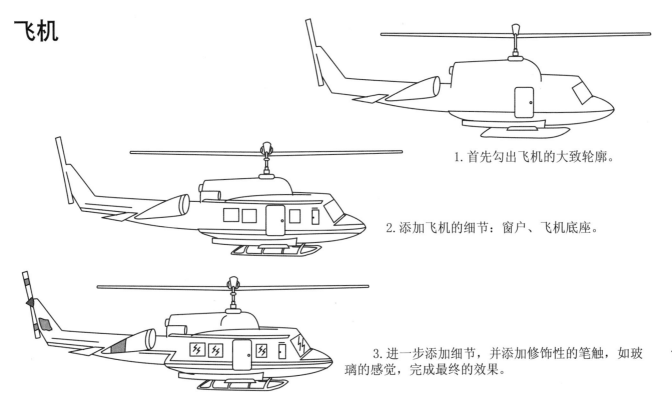

1. 首先勾出飞机的大致轮廓。

2. 添加飞机的细节：窗户、飞机底座。

3. 进一步添加细节，并添加修饰性的笔触，如玻璃的感觉，完成最终的效果。

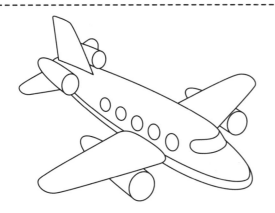

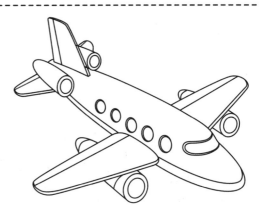

1. 用最基本的圆形、椭圆形、不规则形状勾出飞机的初始化轮廓。

2. 在原有基础上添加细节，完成最终的效果。

汽车与轮船

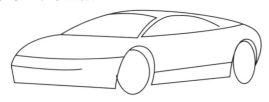

1.绘制汽车时，先确定大概的轮廓。用曲线勾出车顶、车身、车轮。绘图时可找一个实物做参考就会容易很多。

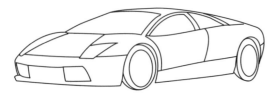

2.在车型的基础上，开始划分车的几大部分：车窗、车门、车前脸、车轮胎。绘图时可先勾出基本的位置及形状。

3.开始添加细节，如轮胎内的圆孔、反光镜、车前灯的细节等。在绘制时注意和整个车身的协调性。

4.经过整理上色，完成最终的效果。在绘图时只要能将车的味道和当前车的特性表现出来就行，有时不用面面俱到地将全部细节都描绘出来。

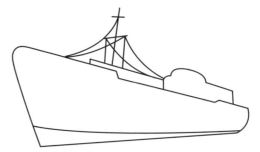

1.勾勒出轮船的外部轮廓，将顶部的桅杆用曲线打出基本的形状。

2.细化顶部桅杆，区分出杆与线。

3.添加轮船顶部的细节，如小窗口。添加海水，最终完成轮船的绘制。

卡通形象的组合

水野英多卡通画

　　水野英多的画唯美，人物刻画细腻、体态丰富。在此五人组合的场景中，两侧的男生逼近读者，表情生动。中间三个人是远景，但占据画面中心，通过人物大小的安排以突出近、中、远之间的关系。

　　发型顺滑或是蓬松均自然地呈现，眼神或忧郁或清澈，绘制得清晰明了。

　　刻画人物注重细节：头发的光影表现、眼睛的细致、耳朵的层次。

人物刻画细致，突出眼睛
神态。女孩表现得清纯。

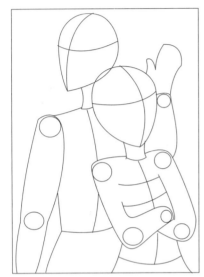

画面中的男女均占据页面的主体，
虽然女孩明显在身体宽度及高度上低于
男性，但由于其站在前方给了观众更多
的视觉，男孩则恰到好处地以侧脸形象
呈现给观众，两个人相得益彰。

久行宏和卡通画

久行宏和的画富有生命力，人物个性鲜明，活泼可爱，表情夸张，肢体语言丰富。

画面中的三个人物体态不同，表情不同，在空间位置上1在画面中最抢眼，2、3则相对较小并且相对1来讲在画面的远处。作为背景的城堡威严耸立，蓝天上白云飘浮，使画面饱满、层次分明。

结构图

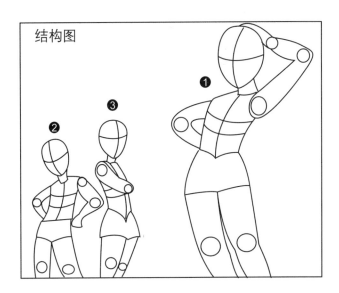

筱原千绘卡通画

接触过少女漫画的人，对筱原千绘都不陌生，其作品在国内不算罕见，如《魔影紫光》、《海暗明光》、《灵猫》以及《天是红河岸》，故事脚本引人入胜，充满幻想，画面干净流畅，运笔圆润，尤其是她笔下的男孩子，该深情时深情，该蛮不讲理时就是没商量余地，充满男子汉的魅力。

画面中有三个人物主角，同时还有一只鸟。看似人物1是画面的中心，但由于夸大了2、3面部表情，使之不得不被人关注，因此1、2、3在画面中的分量是相等的。而4则充分地点缀了右侧，使之更加饱满并有跳跃感。

结构图

清晰的笔路，简洁的画风，却将眼神刻画得精准到位。

小鬼王国

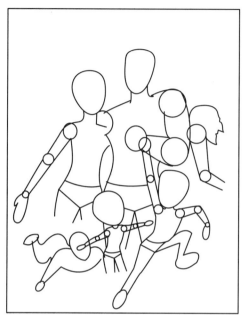

　　这是一张六人海报，由于人员比较多，需将他们紧凑地拼合在一起，并放于画面略向下的位置，以增加稳定感，主人公形象最为醒目，当男主人公与女主人公放在一起时，男主人公会更高一些。在海报中常常有第一大反派，但位置不能超过主人公。为防止海报过于空旷，背景常为天空、草地。

　　反派角色的线条比较硬，常用浓眉毛、尖鼻梁来表现其狡诈阴险。

　　主人公的形象应注重刻画笑脸、喜悦等。

森林王子

美国动画片，制作公司：迪斯尼公司。

无论你是少儿、青少年还是成年人，似乎都无法抗拒迪斯尼的动画片，其海报的特点就是正义的主角永远是在海报中间，而且占很大的面积，反派角色总是在边边角角。海报中人物的动作是根据他在剧中的特长表现出来的。动物在刻画上活泼可爱，人物则与动物保持了同样的感觉。整个画面要保持画风统一。

三个人物并列放置时，大家不分主次，都凑到一起来构图。当然他们必须是好朋友的关系，不能出现敌人，而且每个人的作用都不一样，动作也要各异。

狗儿流浪记

美国动画片，制作公司：迪斯尼公司。

温馨隽秀的画面、深刻感人的情节，近半个世纪迪士尼的动画片总是那样动人地讲述着感人的故事。

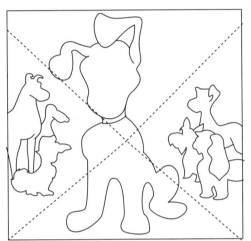

画面中大狗占据了主要的中心，两侧的小狗则围绕其左右，街道两侧伸向远方汇聚成一点。

真爱伴鹅行

美国动画片，制作公司：哥伦比亚。

在将卡通拟人化时，要注意性别，母鸭子要绘制睫毛，线条要细腻。

透视图

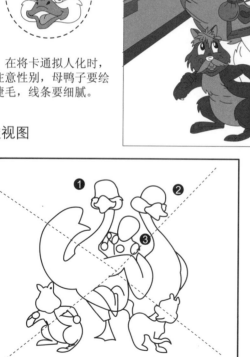

这幅画面以人物及卡通动物为主体，主体占据画面中心地带，同时后面以两侧建筑为背景。绘画上动物表情生动拟人，与人物形象天然合一，具备与观众充分交流之感。

海报中要将主人公1、2大于其他事物，让读者一目了然。3放于中间因为不是主角，所以要稍小一些，以免喧宾夺主。

四幅漫画

四幅漫画在绘制过程中可采用多种形式，可直接用连续的四个方格来形成故事变化节奏，也可以变成八格、十格等更丰富的故事内容。

当前的故事情节由两个女孩的对话完成。其中一个对圣诞节充满期待与幻想，而另一个则用生活的现实与之对白，因而形成前一主人公在表情上的大相径庭。画面重点在刻画主人公的表情，对话占据了页面大部面积。而次要人物虽很大，但因其一直是侧脸形象，因而没有夺了主要人物的场。

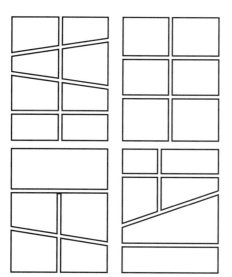

狮子王

美国动画片，制作公司：迪斯尼公司。

这是由纯动物组成的画面，五个小动物根据角色划分主次，主角放在画面的正中央，根据小动物在剧中的性格绘制不同的表情，以体现人物性格。